W9-CPE-255

마법의 설탕 두 조각

마법의 설탕 두 조각

1판 1쇄 발행일 2001년 5월 10일
1판 73쇄 발행일 2013년 9월 13일

글쓴이 · **미하엘 엔데** 그린이 · **진드라 차페크** 옮긴이 · **유혜자**
펴낸이 · **김언호**
펴낸곳 · **(주) 도서출판 한길사**
등록 · 1976년 12월 24일(제74호)
주소 · 413-756 경기도 파주시 광인사길 37
전화 · 031-955-2012 팩스 · 031-955-2089
홈페이지 · www.sonyunhangil.co.kr 블로그 · hangilsa.tistory.com
전자우편 · sonyunhangil@hangilsa.co.kr

값 9,000원
ISBN 89-356-5279-2 74850

• 잘못 만들어진 책은 구입하신 서점에서 바꿔드립니다.

마법의 설탕 두 조각

미하엘 엔데 글 · 진드라 차페크 그림
유혜자 옮김

첫 번째 방문

빗물 거리의 요정

렝켄은 말할 나위 없이 착한 아이입니다. 엄마, 아빠가 다정하게 대해 주고, 렝켄이 원하는 걸 들어주기만 한다면 말입니다.

다만 엄마, 아빠가 그렇게 해 주는 일이 거의 없다는 게 문제였지요.

렝켄이 아이스크림이 먹고 싶어서 돈을 달라고 하면 아빠는 언제나 이렇게 말했습니다.

"안 돼, 벌써 두 개나 먹었잖아. 아이스크림을

한꺼번에 많이 먹으면 배 아파요.”

엄마한테 조심스럽게 부탁해도 마찬가지였습니다.

“엄마, 내 신발 좀 빨아 주세요!”

“네가 해. 너도 이제 다 컸잖아.”

렝켄이 올해는 바다로 휴가를 가고 싶다고 하면, 엄마와 아빠는 굳이 산으로 가겠다고 했습니다.

렝켄은 이렇게 계속 참고 지낼 수만은 없다고 생각했습니다. 그래서 요정을 찾아가기로 했지요. 착한 요정이든, 나쁜 요정이든 별로 중요하지 않았습니다. 중요한 것은 마법을 쓸 줄 아는 요정을 찾는 것이었습니다.

그렇지만 요즘같이 복잡한 세상에 그런 요정이 살고 있는 곳을 어떻게 알아낼까요? 그것은 절대 쉬운 일이 아니었습니다.

렝켄은 읽기를 배운 지 얼마 되지 않았기 때문에 간판이나 문패를 더듬더듬 읽어 가면서 무턱대고 아무 데나 돌아다녔습니다.

그런데 "문방구" 라든지 "과일나라" 라든지 "치과" 라든지 "변호사" 라든지 "국가 고시 자격 취득 마사지 전문가" 라든지 "오로라 신탁 유한 회사" 혹은 도무지 뜻을 알 수 없는 "직슬미프" 같은 간판들은 많았지만 "요정" 이라는 간판은 그 어느 곳에도 없었습니다.

그 대신 렝켄은 주차 금지 구역에 잘못 주차한 차의 번호를 적고 있는 경찰관을 길에서 만났습니다.

렝켄은 경찰관에게 다가가 물었습니다.

"경찰관 아저씨, 어디로 가면 요정을 찾을 수 있나요?"

경찰관은 열심히 뭔가를 적으면서 건성으로 물었습니다.

"요릿집?"

"아니요, 요정요! 마법을 쓸 줄 아는 요정

있잖아요."

"아하, 요정! 마법 요정을 찾고 있다고? 잠깐 기다려 봐라."

잠시 후 경찰관은 기록이 끝난 주차 위반증을 차의 와이퍼 밑에 끼우고는, 주머니에서 수첩 같은 것을 꺼내 뒤적이며 중얼거렸습니다.

"요리…… 요술…… 요술쟁이…… 아, 여기 있다. 요정! ……프란치스카 프라게차익헨, 각종 인생 문제 상담, 갖가지 마법, 소원 성취, 신속하고 정확한 처방. 언제나 상담 가능. 빗물 거리 13번지 맨 위층."

렝켄이 물었습니다.

"빗물 거리가 어디에 있는데요?"

경찰관은 친절하게 대답해 주었습니다.

"앞으로 똑바로 가서 두 번째 골목에서 왼쪽으로 꺾은 다음 지하도를 지나고 첫 번째 골목에서 오른

쪽으로 가다가 다시 처음으로 되돌아가 세 바퀴를 돌면 나온단다. 그런데 우산을 갖고 가는 게 좋을 거야."

"고맙습니다, 경찰관 아저씨."

렝켄은 경찰관에게 인사를 하고 요정의 집을 찾아 나섰습니다.

경찰관이 알려 준 대로 가다 보니 정말로 비가

주룩주룩 내리고 있는 길이 나와서 빗물 거리는 쉽게 찾을 수 있었습니다. 렝켄이 빗물 거리 13번지에 도착했을 때는 우산이 없어서 비에 흠뻑 젖었습니다.

13번지에는 6층까지는 계단으로만 되어 있는 이상하게 생긴 집이 있었습니다. 맨 꼭대기 층까지 올라가자 맨 끝 계단에서 곧장 이어지는 집이 나왔습니다.

렝켄은 마지막 계단을 올라가 쇠로 된 간판 같은 것이 붙어 있는 대문 앞에 도착했습니다. 간판에는 이런 글이 적혀 있었습니다.

그대가 나를 찾아 이곳까지 왔다면,
제대로 찾아왔다.
노크하지 말고 그냥 안으로 들어오라.

렝켄은 혼잣말을 했습니다.

"어떻게 내가 자기를 찾아 여기까지 왔다는 걸 알았지? 아 참, 요정이니까 그렇지. 당연해."

렝켄은 노크를 하지 않고 그냥 안으로 들어갔습니다.

그러다가 하마터면 발밑에 깔려 있는 시퍼런 호수에 빠질 뻔했습니다. 멀리 섬이 하나 있는 것이 보였습니다. 호숫가에는 카누 하나가 물살에 흔들거리고 있었습니다.

렝켄이 카누 안으로 기어 올라가자 노를 젓지도

않았는데 배가 저절로 나아갔습니다. 노가 보이지 않으니 어차피 저을 수도 없는 일이었습니다. 속도가 차츰 빨라졌고, 모터보트를 탔을 때처럼 뱃머리에서 오른쪽, 왼쪽으로 물방울이 튀었습니다. 그렇지만 모터는 분명히 없었습니다. 렝켄의 머리카락이 바람에 흩날렸습니다.

몇 분 뒤 마술 카누는 어느새 섬에 도착했고, 렝켄은 땅으로 펄쩍 뛰어내렸습니다. 그 순간 호숫가가 카펫이 깔린 방바닥으로 변했고, 방 안에는 어떤 부인이 다리가 세 개 달린 둥근 탁자에 앉아 커피를 마시고 있었습니다.

벽에 걸린 등잔 받침대에 켜 놓은 촛불만 하나 흔들거리고 있어서 방 안은 상당히 어두웠습니다. 창 밖에 보이는 둥근 달의 달빛이 방 안으로 스며들었습니다. 뻐꾸기시계가 열두 번 울렸는데, 시계 속에서 나온 것은 뻐꾸기가 아니라

수리부엉이였습니다. 수리부엉이가 열두 번 "부우!" 하고 울어 댔습니다.

요정이 말했습니다.

"어서 이리 와 앉아라. 자, 내게 하고 싶은 말을 해 보렴!"

렝켄이 물었습니다.

"왜 벌써 이렇게 어둡지요?"

"자정이란다. 여기는 시간이 항상 밤 열두 시야. 다른 시간은 아예 있지도 않단다."

정말 시계에는 다른 숫자들이 있어야 할 자리에 모두 12라고만 써 있었습니다.

"그래서 정말 편리하지. 너도 알겠지만 원래 마법이라는 것은 자정이 되어야만 제대로 효력을 발휘하거든. 너도 그 정도는 알고 있었지?"

렝켄은 잘 모르는 이야기라서 머뭇거리다가 고개를 끄덕였습니다.

요정이 물었습니다.

"자, 무슨 고민이 있지?"

렝켄은 요정의 맞은편에 있는 빈 의자에 앉아 요정을 빤히 살펴보았습니다.

요정의 얼굴은 아주 평범해 보였습니다. 길에서 흔히 만나 볼 수 있는 아주머니 같은

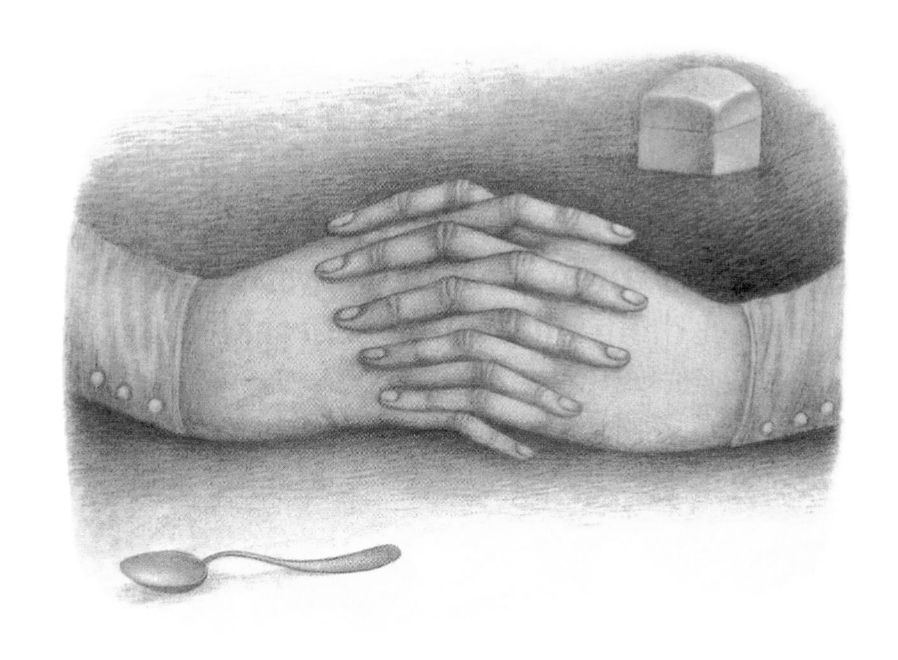

인상이었습니다. 그렇기는 하지만 뭔가 조금은 이상하다는 생각이 들었는데, 왜 그런지는 말하기 어려웠습니다. 한참 만에 그 이유를 알아냈습니다. 요정은 손가락이 여섯 개였던 것입니다.

렝켄의 시선을 눈치채고 요정이 말했습니다.

"겁내지 마라. 우리 요정들은 보통 사람들과 약간씩 달라. 그렇지 않다면 우린 요정이 아니었겠지. 이해할 수 있겠지?"

렝켄은 다시 고개를 끄덕였습니다.

“엄마, 아빠 때문이에요.”

렝켄은 한숨을 쉬고 나서 어렵게 입을 열었습니다.

“엄마와 아빠를 어떻게 해야 좋을지 모르겠어요. 내 말을 도대체 들어주지 않거든요…….”

요정이 안됐다는 표정으로 말했습니다.

“저런! 그래, 내가 어떻게 해 주었으면 좋겠니?”

“상대가 한 사람이 아니라서…… 나 혼자 두 사람을 상대하려니까 너무 힘들어요.”

요정이 깊은 생각에 잠기며 말했습니다.

“손을 쓰기가 상당히 어렵겠는데.”

렝켄이 말했습니다.

“더구나 나보다 키도 훨씬 커요.”

요정이 말했습니다.

“원래 부모들이란 대개 그렇지.”

렝켄이 힘없이 말했습니다.

"나보다 키가 작으면, 둘이라도 문제가 이렇게 심각하지는 않을 텐데."

요정이 맞장구를 쳐 주었습니다.

"정말 그렇겠다!"

렝켄이 말했습니다.

"키가 지금의 반만이라도 된다면……."

프란치스카 프라게차익헨 요정은 손가락 열두 개를 깍지 끼고 눈을 지그시 감은 채 한참 동안 깊은 생각에 잠겼습니다. 렝켄은 가만히 기다렸습니다.

요정이 마침내 소리쳤습니다.

"알았다! 내가 각설탕 두 개를 주마. 물론 마법을 부리는 각설탕이야. 그것을 네 엄마, 아빠가 눈치 채지 못하게 몰래 커피나 차 속에 넣으렴. 아무 고통도 없단다. 그 설탕을 먹은 다음부터는 부모님이 네 말을 들어주지 않을 때마다 원래의 키에서 절반으로 줄어들게 될 거야. 매번 절반으로 줄어드는

거지. 이해할 수 있겠지?"

요정은 이상하게 생긴 통 속에서 보통 각설탕처럼 보이는 각설탕 조각을 두 개 꺼내 렝켄 앞으로 밀어 주었습니다.

렝켄이 말했습니다.

"고맙습니다. 얼마예요?"

"공짜야. 처음으로 상담하러 온 사람에게는 언제나 무료지. 그렇지만 두 번째부터는 비싼 값을 치러야 한단다."

렝켄이 자신 있게 말했습니다.

"그건 괜찮아요. 다시 상담하러 올 필요는 없을 테니까요. 그럼 그만 가 볼게요."

"잘 가렴."

프란치스카 프라게차익헨 요정은 묘한 미소를 지어 보이며 인사했습니다.

그 순간 병에서 코르크 마개를 뽑을 때 나는

소리같이 "빽!" 하는 소리가 나는가 싶더니 렝켄은 어느새 자기 집 거실에 와 있었습니다. 집에 있었던 엄마와 아빠는 딸이 밖에 나갔다 들어온 것도 눈치 채지 못하는 것 같았습니다. 그렇지만 렝켄은 제 손에 들린 각설탕 두 개를 보고 모든 것이 꿈이 아니라는 것을 깨달았습니다.

엄마는 찻주전자를 거실에 갖다 놓고 과자 접시를 가져오기 위해 다시 부엌으로 갔습니다. 아빠는 침실에서 편한 옷으로 갈아입고 있었습니다.

렝켄은 절호의 기회라고 생각하고 엄마와 아빠의 찻잔 속에 얼른 설탕을 한 개씩 넣었습니다. 잠깐 동안 양심의 가책이 느껴졌지만 곧 괜찮아졌습니다.

어차피 엄마와 아빠가 잘못해서 생긴 일이니까요. 그리고 엄마와 아빠가 렝켄이 원하는 걸 잘 들어주기만 한다면 마법의 설탕이 몸에 해로울 것도 없을 것 같았습니다. 만약 실제로 무슨 일이

일어난다고 하더라도 그건 순전히 엄마와 아빠 탓이라는 생각이 들었습니다.

엄마와 아빠는 차를 마셨지만 렝켄은 레몬수를 마시고 싶다고 했습니다.

엄마가 말했습니다.

"마음대로 해. 네가 가서 냉장고에서 꺼내 와."

아직은 아무 일도 생기지 않았습니다.

아빠가 텔레비전 뉴스를 보려고 했지만 렝켄은 다른 채널에서 하는 만화 영화가 보고 싶었습니다.

"뉴스를 봐야지."

아빠가 채널을 뉴스 프로그램에 맞추었습니다.

그 순간 자전거 바퀴에서 바람이 빠져 나가는 것처럼 "푸시식!" 하는 소리가 나더니 아빠의 키가 반으로 줄어들어 버렸습니다. 아빠는 꼭 소인국에서 온 사람처럼 보였습니다. 당연한 이야기겠지만, 옷은 줄어들지 않아 커다란 스웨터, 커다란 바지, 커다란 셔츠와 넥타이가 축 늘어졌습니다. 원래는 1미터 84센티미터였던 아빠가 이제는 그 절반인 92센티미터가 되었습니다. 아빠가 무척 당혹스러워한 것은 너무나 당연한 일이겠지요.

엄마가 깜짝 놀라 소리쳤습니다.

"아니 세상에, 여보! 이게 어떻게 된 일이에요?"

아빠가 말했습니다.

"나도 모르겠소. 뭔가 이상한 일이 벌어진 것 같아."

"당신 키가 갑자기 줄어들었어요, 여보!"

아빠가 믿을 수 없다는 표정으로 물었습니다.

"정말? 얼마나 줄어들었지?"

엄마가 아빠의 키를 가늠하며 말했습니다.

"절반 정도로요."

아빠는 직접 눈으로 확인해 보기 위해 의자에서 벌떡 일어나 거울 앞으로 갔습니다. 옷이 바닥에 질질 끌렸습니다. 거울이 아빠 키에 맞지 않아 엄마가 아빠를 번쩍 들어 올려 주어야만 했습니다.

아빠가 거울을 쳐다보며 중얼거렸습니다.

"정말 그러네. 이거 큰일났군. 회사 사람들이 나를 보고 뭐라고 할까? 얼마 있으면 과장으로 승진할 텐데."

렝켄은 꾹 참고 있던 웃음을 더 이상 참을 수가 없어서 소파 위를 떼굴떼굴 구르며 웃었습니다.

엄마가 아빠와 함께 거실로 돌아와 아빠를 의자에 앉히며 말했습니다.

"이건 웃을 일이 아냐. 이건 아주 안 좋은 일이야. 어쩌면 병일지도 몰라. 어서 의사에게 전화해서 왕진을 부탁해야겠다."

렝켄은 너무 웃겨서 말도 제대로 하지 못할 지경이었습니다.

"아니…… 아니…… 안 돼요. 이건 병이 아니에요."

"어린애가 뭘 안다고 그래? 건방진 녀석 같으니라고!"

엄마는 화를 벌컥 내며 수화기를 들었습니다.

렝켄이 소리쳤습니다.

"아니라니까요! 아니, 아니, 정말 아니라니까요! 의사가 우리 집에 오는 거 싫어요."

엄마가 다시 화를 냈습니다.

"네가 싫든 좋든 상관없는 일이야. 아빠한테 큰일이 생겼잖니."

엄마가 수화기를 들려고 하는데 아까처럼 "푸시식!" 하는 소리가 나면서 엄마도 키가 똑같이 반으로 줄어들어 옷이 축 늘어졌습니다. 원래 1미터

68센티미터였던 엄마는 이제 84센티미터밖에 되지 않았습니다.

"이게 어찌 된 일이……."

엄마는 말을 채 끝맺기도 전에 기절해 버렸습니다.

아빠가 의자에서 밑으로 내려와 엄마를 팔로 받쳐 주었기에 망정이지 그렇지 않았더라면 방바닥에 부딪혀 크게 다칠 뻔했습니다. 물론 키가 줄어들었으니 넘어지더라도 크게 다치지는 않았겠지만요.

아빠가 엄마를 부르며 엄마의 뺨을 두드렸습니다.

"여보! 정신 차려요, 여보!"

엄마가 눈물이 가득 고인 눈을 뜨고 한숨 지으며 말했습니다.

"아, 여보! 이제는 시장에도 못 가겠어요. 사람들이 나를 어떻게 생각하겠어요?"

"어쨌든 이제 우리 두 사람 키가 서로 잘 어울리게 되었으니 그나마 다행이잖소."

아빠가 애써 엄마를 위로했습니다.

"어떻게 되겠지."

아빠는 엄마를 안심시키기 위해 엄마의 이마에 뽀뽀를 해 주었습니다.

"방법이 있을 거요. 우리가 처해 있는 상황을 한번 잘 생각해 봅시다. 그러면 뭔가 묘책이 떠오를 거요."

엄마는 눈물을 닦아 내고 그런 어려운 상황에서도

침착함을 잃지 않고 있는 남편을 감격스런 눈길로 쳐다보면서 물었습니다.

"왜 갑자기 이런 일이 생긴 걸까요?"

아빠가 손으로 턱을 쓰다듬으며 말했습니다.

"좋은 질문이오."

렝켄이 말했습니다.

"이게 다 엄마, 아빠가 내 말을 들어주지 않아서 생긴 일이에요."

엄마와 아빠는 도무지 이해를 못 하겠다는 표정으로 렝켄을 올려다보았습니다.

엄마가 물었습니다.

"너 방금 전에 뭐라고 했니?"

렝켄이 말했습니다.

"엄마, 아빠는 지금 마법에 걸린 거예요. 그렇지만 이제부터 내가 하자는 대로만 하고, 내가 하는 말에 반대하지 않으면 더 이상 그런 일은 일어나지 않을 거예요.”

아빠가 말했습니다.

“말도 안 되는 소리 하지 마라. 터무니없는 소리를 하는구나. 우리는 지금 첨단 과학 시대에 살고 있어. 렝켄, 네가 무슨 짓을 해서 우리가 이렇게 된 거라면 어서 우리를 원래대로 되돌려 놓아라.”

렝켄이 냉정하게 말했습니다.

“아빠가 잘못해서 그렇게 된 거예요. 아빠는 내가 해 달라고 하는 걸 왜 한 번도 안 해 줬어요?”

엄마와 아빠는 서로의 얼굴을 빤히
쳐다보았습니다.

아빠가 혼잣말처럼 말했습니다.

“정말로 저 애가 우리를 이렇게 만든 모양인데?”

엄마가 소리쳤습니다.

“넌 부끄럽지도 않니? 정신이 제대로 박힌
아이라면 감히 이런 짓을 하겠어?”

렝켄이 다시 웃음을 터뜨렸습니다.

“사진을 찍어 놓을게요. 가족 앨범에 기념으로 남겨야지요.”

아빠가 성난 목소리로 소리쳤습니다.

“절대로 안 돼! 사진기 어서 이리 내!”

엄마도 정색을 하며 말했습니다.

“하지 마, 안 돼! 세상 사람들에게 우리를 웃음거리로 만들 생각이니?”

그 순간 조금 전처럼 “푸시식!” 하는 이상한 소리가 났고, 엄마와 아빠는 키가 다시 절반으로 줄어들었습니다. 아빠는 이제 46센티미터가 되었고,

엄마는 42센티미터가 되었습니다.

렝켄이 소리쳤습니다.

"그것 봐요! 엄마, 아빠가 잘못해서 그렇게 된 거예요. 이제부터 내 말에 반대하지 않는 게 좋을 거예요."

엄마, 아빠는 너무나 당황해서 아무 말도 못 했습니다. 렝켄이 아빠의 사진기를 가져와 두 사람을 찍었습니다.

"자, 이제는 나랑 같이 만화 영화를 보는 거예요. 사실 그런 것을 보기에는 키가 너무 작으시네요."

렝켄이 재미있다는 듯 말했습니다.

엄마와 아빠는 반박하지 않고 가만히 있었습니다. 아빠가 자꾸 무슨 말인가 하려고 했지만 엄마가 팔꿈치로 아빠를 쿡쿡 찌르고 손가락을 입술에 갖다 대며 말렸습니다.

저녁 식사는 렝켄이 부엌에서 가져온 과자와

우유가 전부였습니다. 엄마와 아빠는 음식을 아주 조금만 먹었기 때문에 그것만 갖고도 렝켄은 배부르게 먹을 수 있었습니다.

식사 후에 엄마와 아빠는 렝켄이 카드놀이를 하자고 해도 아무 반대도 하지 않았습니다. 더구나 엄마와 아빠에게는 카드의 크기가 너무 컸는데도 순순히 카드놀이를 하겠다고 해서 집 안이 조용했습니다.

잠자리에 들 시간이 되자 렝켄이 말했습니다.

"그만 자요. 그렇지만 이제부터는 내가 큰 침대에서 잘 거예요."

엄마가 눈을 동그랗게 뜨고 물었습니다.

"그럼 우리는?"

렝켄이 명령하듯 말했습니다.

"내 장난감 침대에서 주무세요."

아빠가 얼굴이 새빨개져서 소리쳤습니다.

"너 정말! 그렇게는 못 하겠다. 난 어른이야! 그것만은 들어줄 수 없어!"

엄마도 아빠 편을 들었습니다.

"너무해! 어떻게 우리에게 감히 그럴 수 있니? 정말 너무 심하구나."

그 순간 "푸시식" 하며 바람 빠지는 소리가 다시 났습니다. 이제 아빠는 23센티미터가 되었고, 엄마는 21센티미터가 되었습니다.

렝켄은 곰돌이, 장난감 호랑이, 어릿광대 인형, 코끼리 인형을 엄마와 아빠가 쓰던 침대에 가져다 놓고, 아빠와 엄마를 장난감 침대에 눕혔습니다.

그리고 두 사람에게 이불을 덮어 주며 말했습니다.

"안녕히 주무세요! 이제 모두 자는 거예요. 알았죠?"

렝켄은 이제 모든 것을 자기 혼자 결정할 수 있게 되었습니다. 그래서 얼굴도 씻지 않고 이도 닦지 않은 채 그냥 침대로 가서 누웠습니다. 동물 인형들과 함께 넓은 침대에 누워 있는 것이 좋아서 금방 눈이 스르르 감겼습니다. 렝켄은, 장난감 침대에서 엄마, 아빠가 흥분하여 떠드는 소리를 들으며 깊이 잠들었습니다.

두 번째 방문

바람거리의 요정

한밤중에 천둥이 몰아쳤습니다. 잠을 깬 렝켄은 번개가 내리치고, 천둥이 울어 대자 너무 무서워서 엄마와 아빠 옆으로 가서 눕고 싶은 생각이 굴뚝 같았습니다. 하지만 장난감 침대로 기어 올라갈 수는 없었습니다. 그리고 키가 너무 작아진 엄마와 아빠 곁에 가도 마음이 편안해질 것 같지 않았습니다. 렝켄은 갑자기 너무 외로워서 베개를 부둥켜안고 훌쩍거리다가 다시 잠이 들었습니다.

다음 날 아침에는 다시 해가 떠서 마치 지난 밤에 아무 일도 없었던 것처럼 보였습니다.

렝켄은 눈을 뜨자마자 장난감 침대를 살펴보았지만 엄마와 아빠의 모습이 보이지 않았습니다. 인형에게 채우는 기저귀를 몽땅 꺼내 하나씩 묶어서 줄을 만들어 그걸 잡고 침대 아래로 도망간 것 같았습니다.

렝켄은 집 안을 샅샅이 뒤지며 소리쳤습니다.

"엄마! 아빠! 어디 계세요?"

한참 후 어디에선가 작은 소리가 들렸습니다. 소파가 있는 곳에서 나는 소리였습니다. 소파 위에 있는 쿠션을 모두 들춰 보았지만 아무 것도 보이지 않았습니다. 허리를 잔뜩 구부리고 소파 밑을 살펴보니 엄마, 아빠가 저 안쪽 캄캄한 구석에 쭈그리고 앉아 있었습니다.

렝켄은 화난 목소리로 소리쳤습니다.

"얼른 이리 나와요!"

그리고는 다시 다정한 말투로 말했습니다.

"아무 짓도 하지 않을게요."

엄마, 아빠가 목청껏 외쳤습니다.

"싫어. 우리는 네가 무서워. 절대로 밖으로 나가지 않을 거야!"

그 순간 "푸시식" 하면서 바람이 빠지는 소리가 나더니 엄마와 아빠의 키가 다시 절반으로 줄어들었습니다.

엄마와 아빠를 밖으로 끌어내기 위해 부엌에서 빗자루를 가져와 빗자루 손잡이를 소파 밑에 넣고 쿡쿡 찌르자 효과가 나타났습니다. 엄마와 아빠는 밖으로 나와 카펫 위를 쏜살같이 달려 옷장 밑으로 숨었습니다.

이제 11.5센티미터와 10.5센티미터가 된 아빠와 엄마는 둘 다 옷 대신 화장지를 몸에 걸치고 있었습니다.

렝켄이 말했습니다.

"좋아요. 정 그렇다면 아침은 나 혼자 먹겠어요."

렝켄은 부엌으로 가서 콘플레이크를 가져와 그릇에 담고, 남아 있던 우유를 쏟아 부었습니다. 그리고 엄마와 아빠가 나중에 먹을 수 있도록 작은 접시에 콘플레이크를 담아 바닥에 내려놓았습니다. 렝켄은 그래도 다른 사람을 생각할 줄 아는 아이였거든요.

렝켄은 세수도 하지 않은 채 옷을 갈아입고 학교로 갔습니다. 대문은 언제나처럼 열어 둔 채 잠그지 않았습니다. 물론 집에서 일어난 일에 대해서는 선생님은 물론이거니와 다른 아이들에게 한 마디도 하지 않았습니다.

점심 때 집에 돌아오자 부엌 바닥에 내려 두었던 접시가 깨끗이 비워져 있었습니다.

엄마와 아빠의 모습은 보이지 않았습니다.

렝켄은 정어리 통조림으로 점심을 간단하게 먹기로 했습니다. 그러나 그것도 생각만큼 쉽지 않았습니다. 깡통을 따다가 날카로운 양철에 손가락을 베어 피가 나왔습니다.

렝켄은 피가 철철 흘러내리는 것을 보자 더럭 겁이 나서 엉엉 울면서 집 안을 이리저리 뛰어다니며 소리쳤습니다.

"아빠! 엄마!"

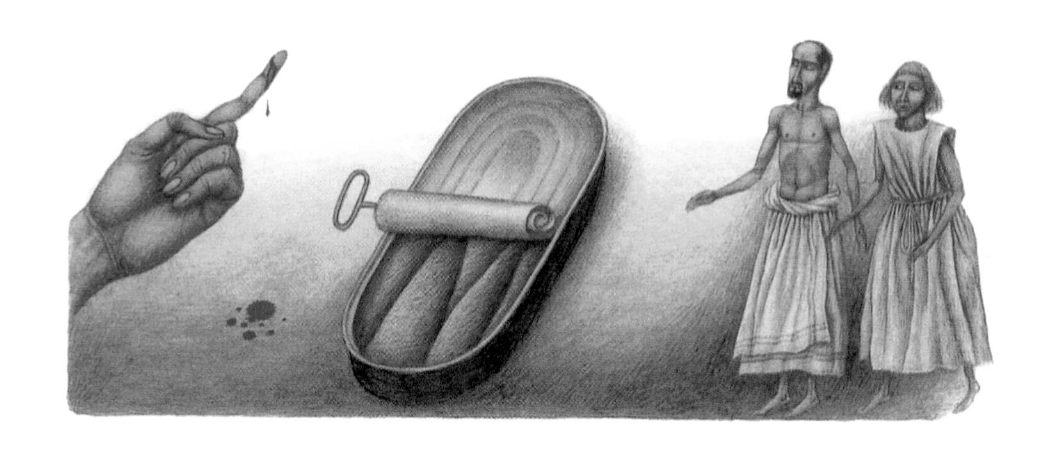

결국 엄마가 책꽂이의 책들 뒤에서 머뭇거리며 앞으로 걸어 나왔습니다. 아빠도 뒤따라 나왔습니다. 딸이 혼자서 엉엉 울고 있는 것을 차마 보고만 있을 수 없었기 때문입니다.

엄마가 물었습니다.

"많이 아프니?"

렝켄은 피가 흐르는 손가락을 들어 보이며 훌쩍였습니다.

아빠가 말했습니다.

"어서 화장실로 가거라. 먼저 다친 데를 물로

깨끗이 씻어야 해!”

엄마가 말했습니다.

“그런 다음 거실장에 있는 구급상자를 찾아 이리로 갖고 오렴.”

렝켄은 엄마, 아빠가 시키는 대로 했습니다.

키가 작아진 엄마와 아빠는 딸의 손가락에 반창고를 감아 주느라 쩔쩔맸습니다. 하마터면 자기들도 반창고에 붙을 뻔했습니다.

아빠가 상처를 반창고로 깨끗이 감아 주고 나서 가쁜 숨을 몰아쉬며 말했습니다.

"자, 제발 부탁하는데 장난 좀 그만 치고 우리를 다시 크게 해 다오. 나도 웬만한 것은 이해할 수 있다만 이쯤 하면 충분한 것 같구나."

"그건 안 돼요. 나도 그렇게 하고 싶은 생각이 있지만 어떻게 해야 하는지 모른단 말이에요."

렝켄은 프란치스카 프라게차익헨 요정을 찾아갔던 일과 찻잔 속에 각설탕을 몰래 넣었던 일을 다 말해 주었습니다.

엄마는 진저리를 쳤습니다.

"참, 못된 요정이구나! 솔직히 말하면 난 그 요정 싫다. 다시는 거기 가지 마라, 알겠지?"

렝켄이 말했습니다.

"그럼 앞으로 엄마와 아빠가 내 말을 다시는, 절대로, 결코 반대하지 말아야 해요. 그렇지 않으면 키가 자꾸 줄어들어서 나중에는 완전히 사라지게 될 거예요."

아빠가 큰 소리로 말했습니다.

"그건 불가능해! 그런 일이 있을 때마다 우리의 키가 절반으로 줄어든다고 해도 우리가 완전히 사라질 수는 없어. 그건 과학적인 사실이다. 티끌처럼 작아질 수는 있겠지만 그렇다고 아주 사라지지는 않지."

엄마가 물었습니다.

"그렇거나 말거나, 문제는 앞으로 렝켄이 어떻게 되느냐는 거예요. 이제 누가 렝켄을 돌봐 주죠?"

"좋은 질문이야."

아빠는 대답이 궁색하면 언제나 하는 말을 다시 했습니다.

그 순간 초인종 소리가 났습니다.

렝켄이 말했습니다.

"막스가 왔을 거예요."

아빠가 급히 말했습니다.

"맙소사! 아무한테도 우리 모습을 보이면 안 돼! 어느 누구에게도 우리에 대해 말하면 안 된다! 알겠지?"

"당연해요! 어서 숨으세요."

렝켄은 현관으로 가서 문을 열어 주었습니다.

밖에는 렝켄의 남자 친구인 막스가 와 있었습니다. 렝켄과 나이가 같은 막스는 앞으로 튀어나온 이 때문에 치아 교정틀을 끼고 있었습니다.

막스가 팔에 안고 온 검은 새끼 고양이를 가리키며 말했습니다.

"나 이거 받았다. 이름이 조로야. 우리 같이 놀자."

렝켄이 물었습니다.

"수놈이니?"

막스는 거실로 들어서며 대답했습니다.

"물론이지. 그래서 이름도 조로라고 붙여 주었어."

막스가 물었습니다.

"너 혼자 있니? 부모님은 안 계셔?"

렝켄이 더듬거리며 말했습니다.

"아…… 응, 저…… 저기 친구 분한테 가셨어."

"그런데 왜 저기 너네 아빠랑 엄마 옷이 있어?"

"급히 옷을 갈아입고 가셨거든. 넌 그런 거 상관할 필요 없잖아."

막스가 조로를 바닥에 내려 놓자 조로는 냄새를 맡으며 이리저리 돌아다녔습니다.

막스가 으스대며 물었습니다.

"어때, 넌 저런 거 없지?"

렝켄이 말했습니다.

"난 저런 거 갖다 줘도 안 가져."

막스가 말했습니다.

"얼마나 똑똑한데! 아주 특별한 종자야."

렝켄이 말했습니다.

"그래? 내 눈에는 그냥 평범해 보이는데."

막스가 자신 있게 말했습니다.

"이름부터가 조로잖아. 저 수염 좀 잘 봐. 다른 고양이한테는 저런 거 없어."

렝켄도 지기 싫어서 한 마디 했습니다.

"난 저것보다 훨씬 더 멋있는 것도 갖고 있어."

"더 멋있다고?"

막스가 고양이와 함께 바닥에 누워 놀면서 말했습니다.

"못 믿겠어. 너도 얘 좀 만져 봐. 내가 옆에 있으면 아무 짓도 안 해."

렝켄이 다시 말했습니다.

"내 건 훨얼씬, 훨얼씬 더 멋있어!"

막스가 궁금해했습니다.

"그게 뭔데?"

렝켄은 엄마와의 약속을 머릿속에 떠올리며 대답했습니다.

"말 안 해."

막스는 뒤로 벌렁 드러누워 조로를 배 위에 올려놓으며 말했습니다.

"별로 특별하지도 않은 거겠지."

렝켄은 화를 냈습니다.

"아주, 정말 아주 특별한 거야. 고양이보다 훨씬 더 특별해."

"그게 뭔지 어서 말해 봐!"

"안 해."

"바보."

"네가 바보야."

"아무 것도 없으면서."

"정말 있다니까!"

"그럼, 그게 뭐야?"

"난쟁이."

처음부터 그런 말을 할 생각은 없었는데 렝켄은 자기도 모르게 그 말을 하고 말았습니다. 막스는 치아 교정틀을 혀로 핥으며 렝켄을 물끄러미 쳐다보다가 한참 만에 말했습니다.

"거짓말. 없으면서."

렝켄은 고집스럽게 말했습니다.

"있다니까."

막스는 호기심을 보였습니다.

"얼마나 작은데?"

렝켄은 엄지손가락과 둘째손가락으로 크기를 가늠해 보였습니다.

막스는 미심쩍은 얼굴로 물었습니다.

"진짜 살아 있어?"

"응."

막스는 방을 둘러보며 물었습니다.

"어디에 있는데?"

"지금은 숨었어. 조금 전까지만 해도 여기 나와서 말도 했었어."

막스는 빙그레 웃으며 말했습니다.

"알겠다. 그 난쟁이가 네게 왕관도 주고, 황금 목걸이도 주었겠지. 물론 눈에는 보이지 않게 하면서 말이지."

바로 그 순간 조로가 비명을 지르더니 번개처럼 잽싸게 소파 밑으로 들어갔습니다. 그 안에서 이쪽저쪽으로 움직이며 소란을 피우는 소리가 들리더니 "싹둑, 싹둑" 하는 소리가 들렸고, 고양이가 고통스러운 듯 "야옹!" 하고 울면서

밖으로 뛰쳐나왔습니다.

그런데 고양이의 수염이 보이지 않았습니다.

막스는 고양이를 안고 화를 벌컥 냈습니다.

"도대체 누가 이렇게 한 거야? 아, 불쌍한 우리 조로!"

렝켄은 고소한 듯 웃었습니다.

"물론 내 난쟁이들이 그렇게 한 거야. 너도 네 눈으로 똑바로 보았지? 아주 위험한 난쟁이들이야."

막스는 얼굴이 금방 하얗게 질렸습니다. 그리고는 숙제를 해야 한다는 핑계를 대고 허둥지둥

달아났습니다.

막스가 가 버리자 렝켄은 엄마와 아빠를 다시 불렀습니다.

"잘 하셨어요! 그까짓 고양이를 갖고 호들갑을 떠는 꼴이라니……."

소파 밑에서 밖으로 걸어 나온 엄마와 아빠는 두려움을 삭이지 못한 채 벌벌 떨었습니다.

엄마가 진저리를 치며 말했습니다.

"어떻게 고양이를 여기로 들여보낼 수 있니? 자칫하면 잡아먹힐 뻔했잖아."

렝켄이 말했습니다.

"절대로 그런 일은 일어나지 않았을 거예요."

아빠가 화가 잔뜩 난 얼굴로 말했습니다.

"다행히 아까 구급상자에서 가위를 가지고 나왔기에 망정이지. 어쩐지 필요할 것 같은 예감이 들더라니. 이게 없었다면 우리는 지금쯤 완전히 끝장나고 말았을 거야."

렝켄이 말했습니다.

"고양이는 사람 안 먹어요."

엄마가 말했습니다.

"우리를 생쥐로 착각했겠지."

렝켄이 깜짝 놀라며 물었습니다.

"조로가 엄마와 아빠를 생쥐로 착각해서 잡아먹으려고 했다는 거예요?"

아빠가 말했습니다.

"착각을 했든 안 했든 제대로 방어하지 못했더라면 고양이에게 잡아먹힐 뻔했어."

렝켄은 고양이가 엄마와 아빠를 잡아먹었다는 이야기를 학교에 가서 하면 아이들이 뭐라고 할지 상상해 보았습니다. 모두들 말도 안 된다고 할 것 같았습니다.

엄마가 렝켄에게 물었습니다.

"만약 그런 일이 생겼다면 넌 고아원으로 가야겠지. 너도 그 정도는 알고 있지?"

렝켄은 울음을 터뜨렸습니다.

"난 고아원에 가기 싫어요!"

아빠가 말했습니다.

"고아원에 가고 싶지 않다면 방법은 딱 한 가지밖에 없어. 엄마와 나를 원래대로 돌려 놓는 거야."

그렇지만 렝켄은 그렇게 하기도 싫었습니다.

렝켄이 말했습니다.

"그것보다 더 좋은 방법이 있어요."

거실에는 기념품과 값비싼 유리잔, 도자기로 만든 인형들이 들어 있는 장식장이 있었습니다. 손만 대면 고개를 숙이는 부처상, 손으로 흔들면 눈이 내리는 것처럼 보이는 베니스 풍경 유리 공, 꽃 바구니를 든 정원사, 아빠가 "쾨닉스슈프링거" 장기 클럽에서 우승해서 받아 온 황금 말이 진열되어 있었습니다.

렝켄은 아빠와 엄마를 장식장으로 옮겨 놓고 말했습니다.

"이곳이라면 안전할 거예요. 물건을 깨뜨리거나, 넘어뜨리지 않게 조심하세요. 혹시 사람들이 오면 인형들처럼 가만히 서 있어야 해요."

그렇게 말한 다음 렝켄은 유리문을 닫았습니다. 엄마와 아빠가 장식장 안에서 아우성을 쳤지만 밖에서는 아무 소리도 들리지 않았습니다. 렝켄은 배가 고파 부엌으로 가서 반쯤 열어 놓은 통조림에

든 정어리를 포크로 찍어 먹으며 라디오를 켰습니다.

어떤 여자 목소리가 흘러나왔습니다.

"안녕, 렝켄. 나 프란치스카야. 기억하니? 프란치스카 프라게차익헨 요정. 나 그 사이에 이사했단다. 혹시 나를 찾아올 일이 생기면 바람 거리 7번지 지하실로 와. 그렇지만 미리 말했듯이 두 번째 상담을 하려면 비싼 값을 치러야 해. 어쨌든 너무 늦지 않게 결정을 내려야 할 거야. 이상 안내 방송이었어."

여자의 말이 끝나자 라디오에서 지루한 음악이 흘러나왔습니다. 렝켄은 라디오를 끄고 깊은 생각에 잠긴 채 손가락으로 코를 후볐습니다.

갑자기 기분이 으스스해졌습니다. 그렇지만 두 번째 상담을 받으러 가는 일은 절대로 없을 것입니다. 렝켄은 다시는 그 여자를 찾아가고 싶지 않았습니다. 그 점에서만큼은 엄마의 생각과 같았습니다. 사실 렝켄은 바람 거리가 어디에 있는지도 알지 못했습니다.

날씨가 좋았습니다. 렝켄은 집 밖으로 나가 현관문을 닫고, 신나게 놀고 있는 아이들에게로 갔습니다. 시간이 조금 지나자 불안했던 마음도 사라졌습니다.

일곱 시쯤 되어서 집으로 돌아와 초인종을 누르는데 그제야 까맣게 잊고 있던 일이 생각났습니다. 렝켄은 그 동안 열쇠를 갖고 나간

적이 한 번도 없었기 때문에 열쇠가 없었습니다. 엄마와 아빠는 장식장 안에 있었고, 문을 열고 나가면 저절로 잠기는 현관문을 열어 줄 수 있는 사람이 아무도 없었습니다.

덜컥 두려운 생각이 들었습니다. 울어도 아무 소용이 없다는 것을 알면서도 집 앞 계단 위에 우두커니 앉아서 눈물을 흘렸습니다.

집 밖에서 긴 밤을 혼자 지내야 한다는 생각을 하자 너무 슬펐습니다. 그렇지만 렝켄에게는 콧물을 닦을 휴지조차 없었습니다.

배도 많이 고팠지만 엄마가 음식을 만들어 놓지도 못했을 테고, 설령 만들어 놓았다고 하더라도 어차피 먹을 수도 없었습니다. 돈도 한 푼 없고 가게문은 이미 오래전에 닫혔습니다. 정말 모든 것이 완전히 비참했습니다.

생각해 보면 모든 것이 엄마와 아빠 때문인 것

같았습니다. 엄마와 아빠가 렝켄이 원하는 대로만 해 주었다면 이 모든 일이 일어나지 않았으리라는 생각이 들었습니다.

그 때 어디선가 회오리바람이 복도의 열린 창문 안으로 몰아쳤습니다. 그러더니 종이 한 장이 날아와 몇 번 빙빙 돌다가 렝켄의 발밑에 떨어졌습니다. 렝켄은 종이에 적혀 있는 것을 읽었습니다.

어서 결정을 내려.
너도 잘하고 있다고 생각하지는 않을 거야.
너의 부모님도 어쩔 수 없었겠지.
자, 어서 날 찾아와. 우리 같이 이야기해 보자.

누가 쓴 걸까? 렝켄은 종이를 뒤집어 뒷면에 적혀 있는 글도 읽었습니다.

이 종이로 비행기를 접어 날려 봐.

그리고 그것을 따라와.

이해할 수 있겠지?

어서 서둘러.

프프요.

프프요는 프란치스카 프라게차익헨 요정의 약자가 분명했습니다. “이해할 수 있겠지?” 라는 문장도 그 요정이 보낸 글이라는 것을 뒷받침해 주었습니다.

렝켄은 울음을 그치고 다시 기운을 차렸습니다. 갑자기 흥분해서 바삐 서두르느라 썩 잘 접지는

못했지만 정성껏 비행기를 접었습니다. 그리고 접은 종이비행기를 가지고 거리로 나가 바람에 날려 보냈습니다.

한 줄기 바람이 불어와 비행기를 위로 번쩍 들어 올렸습니다. 그러다가 비행기는 다시 밑으로 내려오는가 싶더니 땅에 떨어지지는 않고 공중에서 계속 앞으로 날아갔습니다.

렝켄은 그 뒤를 쫓아갔습니다.

뭔가 비밀스러운 힘 때문이었는지는 모르지만 신호등이 있는 곳에서는 종이비행기가 사람들 머리 위 높은 곳에서 제자리를 맴돌았습니다. 그렇게 하지 않았다면 렝켄은 자동차에 신경도 쓰지 않고 무턱대고 길을 건너려고 했을 겁니다. 그러나 그런 일은 일어나지 않았습니다. 다만 웅덩이에 발이 몇 번 빠지고, 지나가는 사람들에 부딪혀 핀잔을 듣기도 했습니다.

서서히 밤이 되어 갔고, 렝켄은 계속 비행기를 쫓아갔습니다. 비행기는 이 골목 저 골목을 누비다가 렝켄이 보이지 않으면 제자리를 맴돌며 렝켄이 올 때까지 기다려 주었습니다. 렝켄은 옆구리가 아파 오고, 증기 기관차처럼 숨이 가빴지만 포기하지 않았습니다.

날이 점점 더 어둡고 적막해져 갔습니다. 길에는 지나다니는 사람이 아무도 없었습니다. 바람이 점점 더 세게 불어와 휙휙 소리를 내며 렝켄을 뒤에서 밀어 주었습니다.

렝켄은 어느 집 대문에 거의 부딪힐 뻔했습니다. 캄캄한 어둠 속이기는 하지만 그 뒤에 집이 있을 것 같지는 않았습니다.

그냥 문만 덩그렇게 있고 검은색 글씨로 커다랗게 7이라는 숫자만 적혀 있었습니다. 그 밑에 있는 쇠로 된 판에 이런 글이 적혀 있었습니다.

원한다면 두 번째 상담을 하세요.

대문이 저절로 열렸고, 바람이 렝켄을 안으로 거칠게 밀어 넣었습니다. 렝켄은 넘어질 듯 지하로 이어지는 계단을 내려갔습니다. 계단 밑이 꽁꽁 얼어 있어서 하마터면 미끄러질 뻔했습니다.

처음에 왔을 때 있었던 호수가 이제는 꽁꽁 얼어

있었습니다. 카누도 있었지만 꼼짝도 하지 않았습니다. 완전히 겨울 풍경이었고, 사방은 눈으로 뒤덮여 있었습니다.

렝켄은 섬까지 가는 먼 길을 한 걸음씩 한 걸음씩 살살 걸어갔습니다. 바닥이 미끄럽기도 하고 얼음이 끝까지 버텨 줄지 걱정도 되었던 것입니다. 얼음이 가끔씩 삐걱거리는 소리를 내며 곧 깨어질 것처럼 보였습니다.

렝켄은 발이 꽁꽁 얼어서 섬에 도착했습니다. 어느새 땅바닥이 카펫이 깔린 방이 되었고, 프란치스카 프라게차익헨 요정은 다리가 세 개 달린 둥근 탁자에 앉아 있었습니다. 창밖에는 묘하게도 한낮의 햇살이 비치고 있었고, 뻐꾸기 벽시계에서는 진짜 뻐꾸기가 나와 열두 번 "뻐꾹!" 하고 울었습니다. 시계의 숫자는 여전히 모두 12였습니다.

프란치스카 프라게차익헨이 렝켄을 보고 다짜고짜 말했습니다.

"두 번째 상담은 원칙적으로 낮 열두 시에 시작해. 원래 그렇게 하는 거야."

렝켄은 왜 그런지, 그 이유가 무엇인지 굳이 물어보지 않았습니다.

"이제 네가 결정을 내려야 해. 이 일을 앞으로 어떻게 해야 좋을지 말이야. 다시 되돌려 놓을 수 있는 시간은 이미 지나가 버렸어. 이해할 수 있겠지?"

렝켄은 솔직히 대답했습니다.

"아뇨."

프란치스카 프라게차익헨이 다시 물었습니다.

"기분 좋았니?"

렝켄은 잠시 망설이다가 대답했습니다.

"처음에는 그랬어요."

“네가 원한다면 앞으로도 계속 그렇게 될 거야. 네 엄마, 아빠의 키는 자꾸만 작아지겠지. 그렇게 되면 처음에는 너희 엄마, 아빠를 성냥갑 같은 데다 보관할 수 있지만, 나중에는 돋보기나 현미경이 있어야만 찾을 수 있게 될 거야. 그것 참 재미있겠지?”

렝켄은 어떤 대답을 해야 할지 몰라 어깨만 들썩였습니다.

프란치스카 프라게차익헨이 다시 말을

이었습니다.

“물론 그 결정은 지금 네가 이 자리에서 내려야 해. 너무 많은 시간이 지나고 나면 다시 원상태로 되돌아갈 수 없게 되어 계속 그렇게 지내야 되거든. 살다 보면 그런 일이 종종 있잖아. 이해할 수 있겠지? 정말로 계속 이렇게 지내길 원하니? 어서 네 생각을 말해 봐.”

렝켄은 결정을 내리지 못한 채 요정을 가만히 쳐다보았습니다.

요정은 천천히 또박또박 말했습니다.

“난 네 결정에 어떤 영향도 미치고 싶지 않단다. 혼자 생각해서 네가 옳다고 생각하는 대로 결정을 내려야 해. 난 앞으로 어떻게 될지 네게 사실대로 이야기해 주고 싶었을 뿐이야. 너도 이해할 수 있겠지?”

렝켄은 침을 꼴깍 삼켰습니다.

"네. 혹시 다른 방법은 없나요?"

요정은 조심스럽게 대답했습니다.

"그 다른 방법이라는 것이 네 마음에 들지 않을 것 같아 걱정이야. 아주 재미없는 일이지. 물론 네 입장에서 본다면 말이야. 네가 그 방법을 원할 것 같지도 않고……."

"그래도 한번 말씀해 보세요."

"우리가 처음 만나서 네가 나한테 상담했던 때로 시간을 돌려 놓을 수는 있단다. 정확히 말하자면 네가 마법의 각설탕을 엄마, 아빠의 찻잔 속에 넣기 직전의 순간으로 말이야. 그렇게 하면 너희 엄마, 아빠도 그 사이에 아무 일도 일어나지 않았다고 생각할 수 있지. 물론 네가 찍었던 사진도 찍지 않은 것으로 될 수 있어. 그런 일이 있었다는 증거가 어디에도 없게 되는 거야. 단지 너만 그 동안 무슨 일이 일어났는지 알고 있는 거야. 게다가 그

순간부터는 네게도 미래의 시간이 다가오니까 앞으로 무슨 일이 일어날지 알게 되는 거야. 이해할 수 있겠지? 그렇게 되면 넌 생각을 바꾸고 각설탕을 차에 넣지 않을 수도 있어."

렝켄은 깜짝 놀라며 물었습니다.

"정말요? 그게 가능해요?"

“물론이지. 그런데 마법이라는 것이 으레 그렇듯이 작은 문제가 하나 있기는 해. 그래서 내가 처음부터 두 번째 상담을 할 때는 비싼 값을 치러야 한다고 했었지. 어떤 결정을 내리든지 간에.”

프란치스카 프라게차익헨 요정은 손가락 열두 개로 탁자 위를 두드리며 잠시 깊은 생각에 잠겼습니다.

“어떤 문제인데요?”

렝켄이 호기심을 나타내자 요정이 눈썹을 위로 치켜 올리며 말했습니다.

“네가 그 설탕을 직접 먹어야 해. 지금 당장. 그게 유일한 방법이란다.”

“그냥 버리면 안 돼요?”

“아니, 미안하지만 안 돼. 그래도 아무 소용이 없어. 그렇게 해도 이미 정해진 사람에게로 다시 되돌아가게 되어 있거든. 집에서 수만 킬로미터

떨어진 바다에 버린다고 하더라도, 버리는 순간 설탕이 네 엄마, 아빠의 찻잔 속으로 들어가게 돼. 그것이 보통 평범한 설탕이 아니라는 것은 너도 이해할 수 있겠지?"

렝켄은 머뭇거리며 대답했습니다.

"물론이에요. 그렇지만…… 내가 그 설탕을 먹으면 엄마와 아빠에게 일어났던 일과 똑같은 일이 내게 벌어지잖아요. 그럼 내 키가 점점 더 작아지게 되는 건가요?"

"어쩔 수 없는 일이지. 만약에……."

"만약에 뭐요?"

"만약에…… 네가 네 엄마, 아빠의 말을 절대로 거역하지 않으면 아무 일도 일어나지 않겠지. 그러면 괜찮아. 정말이란다."

"아, 네."

렝켄은 한동안 아무 말도 안 했고, 요정 역시

그랬습니다.

한참 만에 렝켄이 고개를 가로저으며 말했습니다.

"불가능해요. 내겐 너무 힘든 일이에요."

"나도 그렇게 생각했지. 그러니까 지금 이 상태로 그대로 두기로 하자. 네가 어떤 결정을 내리든 나랑은 아무 상관없는 일이야. 난 널 설득할 생각 없단다."

요정은 시계를 흘깃 쳐다보며 말을 이었습니다.

"이제 시간도 어차피 10초밖에 남지 않았어. 10초만 지나면 이미 늦어 버린 일이 되니까 결정은 내려진 거나 다름없구나."

자기 자신과의 힘겨운 투쟁을 하던 렝켄이 소리쳤습니다.

"제발! 시간을 돌려 주세요! 제발, 그렇게 해 주세요! 지금 당장!"

요정은 자리에서 벌떡 일어나 손가락을 곧게 펴서

뻐꾸기시계의 바늘을 뒤로 돌려 놓았습니다. 그것이 렝켄이 본 프란치스카 프라게차익헨 요정의 마지막 모습이었습니다.

비밀은 없다

병에서 코르크 마개를 뽑을 때 나는 소리 같은 "빽!" 하는 이상한 소리가 나더니 렝켄은 거실에 와 있었고, 엄마는 과자를 가지러 부엌으로 갔고, 아빠는 침실에서 옷을 갈아입고 있는 중이었습니다.

그리고 모든 것이 꿈이 아니었다는 것을 증명해 보이듯 렝켄의 손에는 각설탕이 들려 있었습니다. 렝켄은 설탕을 입속에 넣고 깨물어 먹었습니다.

엄마가 거실로 들어오며 말했습니다.

“렝켄! 설탕 몰래 먹지 마라. 이빨 상해요.”

렝켄이 말했습니다.

“네, 엄마.”

아빠가 물었습니다.

“뉴스 좀 봐야겠는데, 반대하는 사람 있나?”

렝켄이 말했습니다.

“없어요, 아빠.”

엄마와 아빠는 이상하다는 듯 서로의 얼굴을 빤히

쳐다보았습니다.

아빠가 물었습니다.

"왜 그러니, 렝켄? 어디 아프니?"

렝켄은 고개만 가로저었습니다.

엄마가 말했습니다.

"자, 이리로 와서 우리랑 같이 차 마시자. 몸에 좋은 차란다."

렝켄이 말했습니다.

"네, 엄마."

렝켄은 계속 그렇게 했습니다. 그날 이후부터 집 안은 아주 평온했습니다.

엄마와 아빠는 그런 렝켄을 보며 이렇게 말했습니다.

"네가 어느새 철이 다 든 모양이구나."

그러나 그렇게 된 이유는 영원히 비밀이기 때문에 렝켄은 엄마와 아빠에게 솔직하게 사실을 밝힐 수 없었습니다. 적어도 무척이나 길게 느껴졌던 그 다음 주 금요일까지 그런 상황은 계속됐습니다.

아빠가 먼저 이야기를 꺼냈습니다.

"렝켄, 너를 계속 그렇게 두어서는 안 될 것 같구나."

렝켄은 고분고분하게 말했습니다.

"네, 아빠."

엄마가 말했습니다.

"네가 좀 이상해진 것 같아. 아주 낯선 애가 된 기분이야. 우리 딸 렝켄이 아닌 것 같구나."

아빠가 물었습니다.

"정상적인 아이들은 엄마, 아빠가 하는 말을 가끔씩 거역하거든. 넌 네 마음대로 하고 싶은 것도 없니?"

"없어요, 아빠."

"문제가 심각하구나. 아주 가끔이라도 말을 안

듣겠다고 하면 안 되겠니? 우리가 다시 널 정상적인 아이라고 생각할 수 있게 말이야."

엄마는 이렇게 말하고서 한숨을 내쉬었습니다.

렝켄은 어떻게 해야 좋을지 몰라 고민했습니다. 싫다고 하면 뻔한 결과가 나타날 테고, 그렇게 하겠다고 하면 엄마와 아빠의 말을 거역해야 하니까 그것도 마찬가지 결과가 될 수 있었습니다. 그래서 아무 대답도 하지 못한 채 울음을 터뜨렸습니다.

"아니, 세상에! 그게 그렇게 싫으니? 무슨 걱정거리라도 있으면 우리한테 털어놓으렴, 렝켄. 엄마, 아빠에게는 아무 말이나 솔직하게 다 해도 되는 거야."

결국 렝켄은 눈물을 흘리면서 각설탕에 얽힌 비밀을 다 털어놓았습니다.

엄마가 깜짝 놀라며 말했습니다.

"아니, 세상에 그럴 수가! 그 요정 정말 못됐구나!"

아빠가 말했습니다.

"맞아. 다시는 그런 짓을 못 하도록 법적으로 조치를 취해야겠어."

엄마가 렝켄을 안아 주며 위로했습니다.

"불쌍한 것. 아무 걱정 말아라. 아빠는 현명하니까 분명히 방법을 찾아내실 수 있을 거야. 그렇죠,

여보?"

"물론이지."

아빠가 헛기침을 한 다음 말했습니다.

"우리 한번 잘 생각해 보자."

아빠는 방을 왔다 갔다 했고, 렝켄과 엄마는 그런 아빠를 눈으로 좇았습니다.

"알았다!"

아빠가 다섯 바퀴째 돌다가 큰 소리로 외쳤습니다.

"생각해 보면 문제는 아주 간단해. 설탕은 자동차가 기름을 먹는 것처럼 몸속에서 소화되게 되어 있어. 그것은 과학적으로 이미 증명이 되었지. 설탕은 그러니까 네 몸 속에 들어 있는 동안만 네게 영향을 미칠 수 있는 거야. 더구나 설탕은 근육이 움직일 때 제일 먼저 없어지는 성질이 있거든. 그러니까 벌써 오래전에 네 몸에서 빠져 나갔을 거야."

렝켄은 울음을 뚝 그치고 코를 닦으며 물었습니다.

"정말 그럴까요?"

아빠가 자신 있는 표정으로 말했습니다.

"물론이지. 내 말을 한번 거역해 봐. 연습으로 말이야."

"네, 아빠. 그렇지만 만약 잘못되면요?"

엄마가 말했습니다.

"우리가 하는 말을 정말로 거역해 보렴. 그냥 대충 그렇게 하지 말고."

렝켄은 볼멘 소리로 말했습니다.

"그럼 그렇게 할 수 있게 저한테 진짜 명령을 내려 보세요."

아빠가 얼굴을 험상궂게 일그러뜨리며
말했습니다.

"좋아, 당장 이 자리에서 재주를 넘어 봐."

렝켄은 머뭇거리며 말했습니다.

“싫어요. 싫단 말이에요. 지금은 재주 넘고 싶은 생각이 없어요!”

세 사람 모두 긴장한 얼굴로 기다렸지만 아무 일도 일어나지 않았습니다. 그제야 모두 환하게 웃으며 서로를 부둥켜안고 기뻐했습니다. 아빠의 말이

옳았습니다. 아빠는 정말 현명했습니다.

그 후 그 사건은 렝켄 가족의 기억 속에서 완전히 잊혀졌습니다. 다만 그 일로 인해 한 가지 변화가 생겼습니다. 렝켄은 부모님의 말씀을, 부모님은 렝켄의 말을 무턱대고 반대하지 않고 꼭 필요할 때만 그렇게 했습니다.

그래서 그 사건 이후 렝켄의 가족은 행복하게 살면서 여러 가지 문제를 일으켰던 프란치스카 프라게차익헨 요정을 오히려 고마운 마음으로 기억했습니다.

참, 한 가지 더 말해 둘 것은 렝켄은 그 날 이후에도 재주 넘기를 아주 많이 했다는 겁니다.

엄마, 아빠가 시킬 때도 하고, 시키지 않을 때도 했지요.

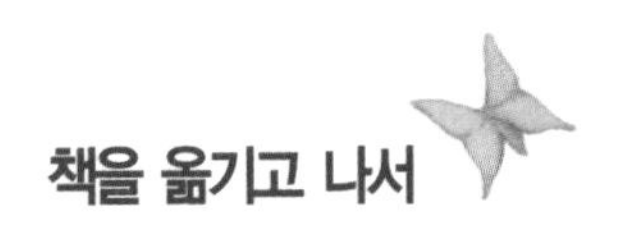

책을 옮기고 나서

나는 아이를 무척 좋아한다. 특히 아이를 기르는 기회가 내게 주어진 것이 한없이 감격스럽고 감사하다. 아이를 기르면서 난 비로소 남을 이해할 수 있게 되었다.

내 경험으로 보건대, 아기와 엄마의 관계는 아기의 입장에서 본다면 불신에서 시작된다. 아기들은 젖을 빨다가 자칫 젖꼭지를 놓치면 금방이라도 무슨 큰일이 날 것처럼 자지러진다. 엄마의 모습이 잠시 시야를 벗어나도 이 넓고 광활한 세상에 자기 혼자만 덩그렇게 남은 외토리가 된 것처럼 목이 터져라 울어 댄다. 아기들은 금방 다시 젖을 먹게 된다는 것, 엄마가 반드시 돌아온다는 것에 대한 신뢰가 없다. 그래서 아주 작은 바람이 이루어지기만 해도 엉덩이를 들썩이고, 주먹을 불끈 쥐고 온몸으로 기쁨을 표현한다.

나는 그렇게 무경험과 무지에서 나온 불신을 말끔히 씻어 주고, 엄마로서 자식에 대한 사랑과 관심을 늘 갖고 있음을 계속 알려주어 아기로 하여금 넉넉한 마음으로 부모를 믿고 기다릴 수 있게 만들려고 노력했다.

내가 존경해 마지않는 위대한 작가 미하엘 엔데는 이 《마법의 설탕 두 조각》을 통해 아이의 입장을 대변하였다. 부모에 대한 신뢰가 부족한 아이의 불만이 엄청난 위력으로 폭발할 수 있다는 것을 잘 보여 주었다. 정말 책이니까 망정이지 현실에서 그런 일이 일어났다면 이제 부모가 된 내 입장으로서는 여간 낭패스러운 일이 아닐 수 없을 것이다.

두 살 터울 위에 있는 형이나 언니의 나이를 아무리 백 년 만 년 살아도 도저히 뛰어넘을 수 없다는 것을 알게 되면서 아이들은 좌절을 경험한다. 하물며 태어날 때부터 산처럼 떡하니 버티고 있는 부모야말로 아이의 입장에서 본다면 가끔은 가위에 눌리는 것 같은 두려움의 대상이 될 수 있을 것이다.

꿈속에서라도 한 번쯤 부모보다 더 큰 거인이 되고 싶은 소망, 아이의 입장에서 본다면 너무 쉽게 요구하는 것 같은 부모의 금지 사항들을 무시하고 싶은 욕구가 아이들의 내면에 뿌리 깊게 자리 잡고 있다는 것을 사람들은 막상 어른이 되면 쉽게 잊어버린다. 누구나 결정적인 순간을 맞으면 이기주의적인 사고에 편승하는 것을 편안해하기 때문에 어른의 입장에서 부모의 권위를 내세우며 주장하는 것에 익숙해지는 것이다.

각설탕을 넣은 차를 마신 다음부터 아이의 말에 반대할 때마다 부모의 키가 절반으로 줄어든다니 아이의 입장에서 보면, 비록 책 속의 이야기이기는 하지만 얼마나 통쾌할까? 미하엘 엔데는 책을 통해 아이들이 현실 세계에서 느끼는 갈증과 서러움을 후련하게 치유해 주고, 따스하게 위로해 주었다. 그렇지만 성냥갑보다도 작게 줄어들 뻔한 부모를 보고 부모의 존재를 다시 확인하고,

위험을 감수하고라도 부모의 키를 원상태로 돌려놓은 렝켄의 결정은 얼마나 다행스러운가? 비로소 부모에 대한 신뢰를 회복하고 비밀을 털어놓음으로써, 렝켄과 렝켄의 부모는 서로가 서로를 간절히 원하는 행복한 가족으로 돌아올 수 있었다.

우리 성우와 성표에게도 그런 각설탕이 주어졌다면 과연 어떻게 했을지 무척 궁금하다. 설령 우리에게 그것을 먹인다고 하더라도 렝켄처럼 간절한 마음으로 나와 남편의 복귀를 소망해 주기를 진심으로 빈다.

미하엘 엔데는 1929년 독일 남부 가르미슈 파르텐키르헨에서 태어났다.
아버지 에트갈 엔데는 초현실주의 화가였으며 어머니 루이제 엔데는 물리요법자였다.
1960년 첫 작품 『짐 크노프와 기관사 루카스』를 발표한 이래로, 팬터지 문학의 고전이라 할
『모모』와 『끝없는 이야기』를 내놓음으로써 20세기 후반의 독일 청소년 문학을 풍요롭게 했다.
평생을 연극 배우, 연극 평론가, 연극 기획자, 작가로서 치열하게 살다가
1995년 66세의 나이로 세상을 떠났다.

진드라 차페크는 1953년 체코슬로바키아에서 태어나 스위스 취리히와 독일 프라이부르크에서
그림을 공부했다. 1977년부터 어린이책에 그림을 그리기 시작했으며, 2000년 IBBY Honour List
일러스트레이터 부문에 올라가는 영예를 얻었다. 오스카 와일드의 『별아이』와
러시아 전래동화 『불새』에도 그림을 그렸으며, 지금은 프라하에서 살고 있다.

유혜자는 대전에서 태어났다. 1980년부터 5년간 스위스 취리히 대학교에서 독일어와 경제학을
공부하고 돌아왔다. 그 이후 독일어로 된 책을 우리말로 옮기는 작업을 20년째 계속하고 있다.
『좀머 씨 이야기』『마법의 설탕 두 조각』 등 그동안 번역한 작품들이 많다.